十万个为什么

P9-BJF-984

幼儿版

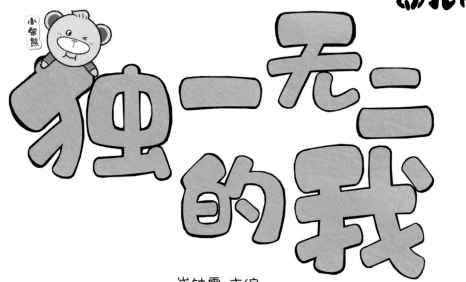

独一无二的我

崔钟雷 主编

黑龙江美术出版社

杨牧之

国务院批准立项
国家重大出版工程 《中国大百科全书》总主编

1966年毕业于北京大学中文系，中华书局编审。曾经参与创办并主持《文史知识》（月刊）。1987年后任国家新闻出版总署图书司司长、副署长。第十届全国人大代表、教科文卫委员会委员。现任《中国大百科全书》总主编、《大中华文库》总编辑、《中国出版史研究》主编。

崔钟雷主编的"疯狂十万个为什么"系列丛书、百科全书系列丛书，是用中国价值观、中国人喜闻乐见的形式，打造的送给孩子们的名家彩绘版科普读物。我祝贺它们的出版。

杨牧之
2018.1.9
北京

编委会

总　顾　问：杨牧之

主　　　编：崔钟雷

编委会主任：李　彤　刁小菊

编委会成员：姜丽婷　贺　蕾
　　　　　　张文光　翟羽朦
　　　　　　王　丹　贾海娇

图书设计：稻草人工作室

崔钟雷

2017年获得第四届中国出版政府奖"优秀出版人物"奖。

李　彤

曾任黑龙江出版集团副董事长。
曾任《格言》杂志社社长、总主编。
2014年获得第三届中国出版政府奖"优秀出版人物"奖。

刁小菊

曾任黑龙江少年儿童出版社编辑室主任、黑龙江出版集团出版业务部副主任。2003年被评为第五届全国优秀中青年（图书）编辑。

大千世界，奥妙无穷，面对这个陌生而又熟悉的世界，一天天长大的孩子们总是在问为什么。孩子们的问题有时新奇、有时怪异、有时让人匪夷所思。作为家长，是否已经准备好回答孩子们的天真问题？

本套丛书专为 3~6 岁孩子打造，用生动有趣的图片和简单易懂的故事回答孩子们提出的为什么。拥有了本套丛书，家长们就不用再挠头抓狂。希望孩子们在收获知识的同时，能够发现智慧之光。愿这一缕智慧的光芒，能够照亮孩子们的童年梦想。

编 者

目 录

脑袋大就聪明吗

yòu ér yuán xīn lái le liǎng gè xiǎo péng
幼儿园新来了两个小朋

yǒu　　mài kè hé luó jié
友——迈克和罗杰。

mài kè de nǎo dai hěn dà
迈克的脑袋很大，

luó jié de nǎo dai hěn xiǎo
罗杰的脑袋很小。

dà jiā dōu rèn wéi nǎo dai dà de mài kè
大家都认为脑袋大的迈克

cōng míng　　nǎo dai xiǎo de luó jié bù cōng
聪明，脑袋小的罗杰不聪

míng　　luó jié wèi cǐ hěn shāng xīn
明，罗杰为此很伤心。

xì xīn de lǎo shī fā xiàn le luó jié de
细心的老师发现了罗杰的
fán xīn shì　　lǎo shī xiàng hái zi men jiě shì
烦心事。老师向孩子们解释
shuō　　　kē xué jiā men yán jiū zhèng míng
说："科学家们研究证明，
yí gè rén de zhì lì shuǐ píng hé nǎo dai de dà
一个人的智力水平和脑袋的大

xiǎo méi yǒu zhí jiē guān xì　　nǎo dai dà jiù cōng míng zhè ge shuō fǎ
小没有直接关系。脑袋大就聪明这个说法
shì méi yǒu kē xué gēn jù de　　shì bù zhǔn què de
是没有科学根据的，是不准确的。"
luó jié hěn gāo xìng lǎo shī néng gěi chū kē xué de jiě shì　　hái
罗杰很高兴老师能给出科学的解释，孩
zi men yě néng zhèng què kàn dài nǎo dai dà xiǎo de wèn tí le
子们也能正确看待脑袋大小的问题了。

鼻子是如何分辨气味的

客厅中，凯
文正在玩玩具。

突然，他和爸
爸同时闻到一股
奇怪的味道。

"不好，我的菜！"妈妈大
叫着跑向厨房。

原来是妈妈炖的菜煳了，
好在发现及时，否则可能引发
火灾。

凯文说："多亏
了我们的鼻子能分辨
不同的气味。"

爸爸笑着说："是啊，我们的鼻子中有很多嗅觉细胞。嗅觉细胞能将气味的信息传递给大脑，所以我们才能分辨不同的气味。"

这时，妈妈灰头土脸地从厨房出来，凯文和爸爸看了哈哈大笑。

老婆，下次可要小心啊！

妈妈，你的脸。

人为什么会换牙

wēi lián de yá diào le　　yòu nán kàn yòu nán shòu　　tā hěn shāng xīn
威廉的牙掉了，又难看又难受，他很伤心。

wēi lián wěi qū de lái zhǎo mā ma
威廉委屈地来找妈妈。

妈妈，我的
牙掉了一颗。

没事的，
别担心。

mā ma mō zhe wēi lián de tóu shuō　　bié dān xīn
妈妈摸着威廉的头说："别担心，

nǐ kāi shǐ huàn yá le　　zhè shì zhèng cháng de
你开始换牙了，这是正常的。"

wēi lián yì liǎn yí huò
威廉一脸疑惑。

mā ma gào su wēi lián　　rén chū shēng yí
妈妈告诉威廉，人出生一

duàn shí jiān hòu　　huì zhǎng chū yí fù rǔ yá
段时间后，会长出一副乳牙。

suí zhe nián líng zēng zhǎng　　rǔ
随着年龄增长，乳
yá wú fǎ mǎn zú jǔ jué xū yào
牙无法满足咀嚼需要，
jiù huì diào luò　　rán hòu zhǎng chū gèng
就会掉落，然后长出更
dà　　gèng jiān yìng de yá
大、更坚硬的牙。

保护牙齿十分重要，要少
吃糖果，按时刷牙，保持良好
的口腔卫生，否则可能会出现
蛀牙。

zhī dào le zhè xiē　　wēi lián
知道了这些，威廉
bú zài hài pà　　yě bú zài hài xiū
不再害怕，也不再害羞，
tā xī wàng xīn yá néng kuài diǎn zhǎng
他希望新牙能快点长
chu lai
出来。

11

蛀牙是虫子惹的祸吗

我是细菌，这颗蛀牙
就是我的杰作。
好多人都认为蛀牙是
虫子惹的祸，有虫子替
我背黑锅，真好！

12

wǒ néng fēn jiě
我 能 分 解

zhān zài yá chǐ shang
粘 在 牙 齿 上

de shí wù cán zhā
的 食 物 残 渣，

tóng shí shì fàng chū suān
同 时 释 放 出 酸

xìng wù zhì　suān xìng wù zhì néng
性 物 质。 酸 性 物 质 能

fǔ shí yá chǐ　shí jiān jiǔ le
腐 蚀 牙 齿， 时 间 久 了，

yá chǐ shang huì chū xiàn kǒng
牙 齿 上 会 出 现 孔

dòng　zhù yá jiù xíng chéng le
洞， 蛀 牙 就 形 成 了。

zhè ge xiǎo hái ài chī tián shí　yòu bú ài shuā yá　hěn shì hé
这 个 小 孩 爱 吃 甜 食， 又 不 爱 刷 牙， 很 适 合

wǒ　wǒ de mèng xiǎng shì zhì zào gèng duō de zhù yá　jiāng lái wǒ huì bǎ
我。 我 的 梦 想 是 制 造 更 多 的 蛀 牙， 将 来 我 会 把

zhù yá zū gěi wǒ de tóng lèi
蛀 牙 租 给 我 的 同 类。

zāo gāo　zhè ge xiǎo hái shuā yá
糟 糕， 这 个 小 孩 刷 牙

le　wǒ de měi mèng pào tāng le
了， 我 的 美 梦 泡 汤 了。

13

为什么多数人习惯用右手

mǐ yà shì gè cōng míng dǒng shì de hái zi   tā
米娅是个聪明懂事的孩子，她

kàn dào mā ma měi tiān zhào gù zì jǐ dōu hěn xīn kǔ
看到妈妈每天照顾自己都很辛苦。

yú shì   mǐ yà kāi shǐ xué zhe zhào gù
于是，米娅开始学着照顾

zì jǐ   tā xué huì yòng yòu shǒu jì xié dài
自己，她学会用右手系鞋带。

mǐ yà xué zhe yòng yòu shǒu ná sháo chī
米娅学着用右手拿勺吃

fàn   yòng yòu shǒu ná yá shuā shuā yá
饭，用右手拿牙刷刷牙。

méi guò jǐ tiān   mǐ yà jiù biàn
没过几天，米娅就变

de hěn dú lì le
得很独立了。

yì tiān   mǐ yà
一天，米娅

gǎn dào hěn qí guài   tā
感到很奇怪，她

chī fàn   xiě zuò yè
吃饭、写作业、

jì xié dài dōu shì yòng yòu
系鞋带都是用右

shǒu   zuǒ shǒu jiù bù
手，左手就不

xíng   zhè dào dǐ
行，这到底

shì wèi shén me ne   mǐ yà gǎn jǐn pǎo huí jiā wèn mā ma
是为什么呢？米娅赶紧跑回家问妈妈。

    mā ma shuō   wǒ men cóng zǔ xiān nà lǐ jì chéng le yòng yòu shǒu de xí
    妈妈说："我们从祖先那里继承了用右手的习

guàn   zài jiā shàng fǎn fù liàn xí   wǒ men de yòu shǒu yuè lái yuè shú liàn   suǒ yǐ
惯，再加上反复练习，我们的右手越来越熟练，所以

jiù xí guàn shǐ yòng yòu shǒu le   ér zuǒ shǒu xiāng duì jiù
就习惯使用右手了，而左手相对就

méi yǒu nà me líng huó
没有那么灵活。"

为什么吃饱后容易发困

妈妈准备了好吃的饭菜，杰克很开心，大口大口地吃起来。

吃完饭，杰克感觉很困。

妈妈说："人吃饱后，血液流向胃肠，帮助消化，脑部的血液供应减少，使得氧气供应减少，所以人会发困。"

jié kè yì biān tīng zhe
杰克一边听着

mā ma de jiě shì　　yì biān
妈妈的解释，一边

zhǔn bèi shuì jiào
准备睡觉。

mā ma gào su jié kè　　fàn hòu bù néng mǎ shàng shuì jiào　　kě yǐ zuò xiē
妈妈告诉杰克，饭后不能马上睡觉，可以做些

shū huǎn de yùn dòng　　bǐ rú màn zǒu
舒缓的运动，比如慢走。

jié kè tīng le mā ma de
杰克听了妈妈的

huà　　guǒ rán hěn kuài jiù biàn de
话，果然很快就变得

huó lì mǎn mǎn le
活力满满了。

17

人为什么会打哈欠

丹尼尔困了,他一边打着哈欠,一边爬上床,说:"妈妈,我有一个问题,人为什么会打哈欠呢?"

妈妈说:"人困倦时,身体处于缺氧状态,大脑会控制人打哈欠,吸入更多的氧气。这是人体自我保护的一种方式。"

学到了新知识,丹尼尔很高兴,满意地睡去了。

19

为什么会做梦呢

bā bù hé luó bó
巴布和罗伯

tè lái dào hǎo péng you sū
特来到好朋友苏

shān jiā zuò kè
珊家做客。

sū shān xiào zhe
苏珊笑着

shuō wǒ zuó tiān kàn le
说："我昨天看了

yí bù hěn hǎo de dòng huà
一部很好的动画

piàn wǎn shang jiù mèng dào
片，晚上就梦到

hé dòng huà piàn zhōng de rén
和动画片中的人

chéng le hǎo péng you
成了好朋友。"

sū shān mā ma gěi hái zi men ná lái
苏珊妈妈给孩子们拿来

le shuǐ guǒ shuō yì zhí dōu zài
了水果，说："一直都在

xiǎng zhe dòng huà piàn suǒ yǐ wǎn shang
想着动画片，所以晚上

jiù zuò mèng le zhè jiù jiào rì yǒu suǒ
就做梦了，这就叫'日有所

sī yè yǒu suǒ mèng
思，夜有所梦'。"

bā bù yí xià zi jiù míng bai
巴布一下子就明白

le shuō yuán lái shì zhè
了，说：" 原来是这

yàng nán guài wǒ yì zhí xiǎng chī zhá
样，难怪我一直想吃炸

jī yǒu yí cì jiù mèng dào le chī
鸡，有一次就梦到了吃

zhá jī
炸鸡。"

luó bó tè zài yì páng kāi xīn de shuō nà
罗伯特在一旁开心地说：" 那

wǒ yào yì zhí xiǎng zhe biàn xíng jīn gāng wán jù shuō
我要一直想着变形金刚玩具，说

bu dìng mèng li bà ba jiù huì mǎi gěi wǒ le
不定梦里爸爸就会买给我了。"

dà jiā tīng
大家听

wán hā hā dà
完，哈哈大

xiào qi lai
笑起来。

为什么男人长胡子女人不长胡子

吉姆起床了，他穿着睡衣，迷糊地走进洗手间。

爸爸的胡子一晚上又长长了很多，他正在专心地刮胡子。

妈妈正在一边化妆，一边欣赏自己美丽的面容。

吉姆看着妈妈的脸，突然想到了

一个奇怪的问题：为什么妈妈不长胡子呢？带着这个问题，吉姆跑去问爸爸。

爸爸告诉吉姆，男人体内雄性激素多，所以长胡子，而女人体内雄性激素很少，所以不长胡子。

听了这个解释，吉姆摸了摸自己的下巴，心想：等我长大了，我也要刮胡子。

为什么女人爱唠叨

shǔ jià dào le
暑假到了，
pí tè zhěng tiān dāi zài
皮特 整 天 待 在
jiā zhōng kàn diàn
家 中 ，看 电
shì dǎ yóu xì shuì
视、打游戏、睡
jiào mā ma hěn bù mǎn yì yì zhí zài láo dao
觉……妈妈很不满意，一直在唠叨。

pí tè bié dǎ yóu xì le qù xiě
"皮特，别打游戏了，去写
shǔ jià zuò yè xiàn zài jiù qù kuài
暑假作业，现在就去，快！"

pí tè bú yào kàn diàn shì le
"皮特，不要看电视了，
cháng shí jiān kàn diàn shì duì yǎn jing bù hǎo
长 时间看电视对眼睛不好。"

pí tè bú yào zǒng shì shuì jiào
"皮特，不要总是睡觉，
chū qù yùn dòng yùn dòng
出去运动运动。"

皮特听得很不耐烦，就去问爸爸："妈妈为什么这么爱唠叨？"

爸爸说："唠叨是妈妈的一种特殊

表达方式。很多生活上的小事让她烦心，她就会用这样的方式宣泄情绪。妈妈虽然唠叨，但也是在关心和提醒你，所以，你要听妈妈的话。"

听了爸爸的话，皮特变得很乖巧，而且十分听妈妈的话。

为什么要打预防针

yī yuàn zhōng lái le hěn duō xiǎo
医院 中 来 了 很 多 小

péng yǒu   tā men dōu shì lái dǎ yù fáng
朋 友 ，他 们 都 是 来 打 预 防

zhēn de
针 的 。

tuō mǎ sī yě zài qí zhōng   dàn tā shí fēn
托 马 斯 也 在 其 中 ， 但 他 十 分

hài pà dǎ zhēn
害 怕 打 针 。

妈妈安慰托马斯说："打
预防针能够预防很多疾病，
让你健康长大。你是小男子
汉了，要勇敢。"

听了妈妈的话，托马斯鼓
起勇气，打完了预防针，还
得到了护士阿姨的表扬。

人为什么会脸红

安妮穿了新衣服，幼儿园的小朋友们都夸安妮真漂亮。安妮很害羞，脸变得通红。

布鲁克好奇地问："老师，安妮的脸为什么会变红？"

老师笑着说："安妮害羞了。当一个人害羞或激动的时候，大脑进入活跃状态，更多的血液会流向大脑，脸就会变得红通通的。"

布鲁克回头对安妮说："不要害羞，要自信，因为你很漂亮。"

安妮听了，忍不住笑起来。

自己挠胳肢窝为什么不痒

大卫是个淘气的孩子。这一天，他趁吉米不注意，挠了吉米的胳肢窝。

吉米痒得在地上打滚，大喊："大卫，快住手！哈哈！好痒，哈哈！"

大卫没想到挠胳肢窝会这么痒，他很好奇，于是挠了挠自己的胳肢窝，但并没有什么特别的感觉。

吉米站起来，说："傻瓜，挠自己的胳肢窝是不痒的，因为你的大脑已经有了准备，知道是自己在挠，所以不会做出类似大笑、挣扎一样的反应。"

大卫坏笑着，说："原来是这样啊，看来只能挠你啦。"说完，两个好朋友互相追逐着挠对方的胳肢窝。

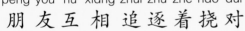

为什么剪指甲不会感到疼

yuē hàn hé mǎ dīng shì hǎo
约翰和马丁是好
péng you   tā men jīng cháng zài
朋友，他们经常在
yì qǐ wán shuǎ
一起玩耍。

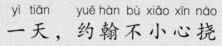

yì tiān   yuē hàn bù xiǎo xīn náo
一天，约翰不小心挠
dào le mǎ dīng de pí fū   mǎ dīng tòng de kū qi lai
到了马丁的皮肤，马丁痛得哭起来。
mā ma zǒu guo lai   shuō   yuē hàn   nǐ de zhǐ jia yǒu xiē cháng le
妈妈走过来，说："约翰，你的指甲有些长了，
wǒ lái bāng nǐ jiǎn diào ba
我来帮你剪掉吧。"

yuē hàn shuō zì jǐ pà téng mā
约翰说自己怕疼。妈

ma shuō bié dān
妈说："别担

xīn zhǐ jia shang méi
心，指甲上没

yǒu shén jīng suǒ yǐ
有神经，所以

jiǎn zhǐ jia shí bú huì gǎn
剪指甲时不会感

dào téng
到疼。"

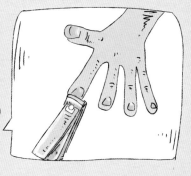

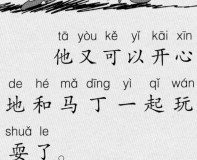

tīng le mā ma de huà yuē hàn fàng xīn
听了妈妈的话，约翰放心

de ràng mā ma jiǎn le zhǐ jia
地让妈妈剪了指甲。

tā yòu kě yǐ kāi xīn
他又可以开心

de hé mǎ dīng yì qǐ wán
地和马丁一起玩

shuǎ le
耍了。

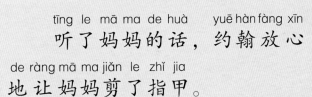

打喷嚏时眼睛怎么睁不开

今天是洛克的生日，家人们都来庆祝。

但是，洛克感冒了，他不停地打喷嚏。

洛克很好奇，打喷嚏和眼睛没有关系，但是在打喷嚏的时候，眼睛总是睁不开。

爸爸告诉洛克，眼睛和鼻子之间有导管连接。打喷嚏时，大脑会指挥眼睛闭合，防止鼻腔喷出的强大气流损伤眼睛。

洛克真希望自己能快点好起来，这样就可以和家人们一起快乐地庆祝生日了。

35

人为什么
会拉便便

罗宾跟着妈妈去商场购物。突然，罗宾很想拉便便。

可是，洗手间排队的人太多了，罗宾急得团团转。

等了好久，罗宾终于进了洗手间。

拉完便便，罗宾一边洗手，一边问妈妈："人为什么会拉便便呢？"

妈妈说：" 人吃下的食
物，经过胃肠，营养都被
人体吸收了，剩下的就成
了便便，对人体已经没什么
用了，所以要排出体外。"

罗宾点点头。这时，洗
手间又来了更多的人排队，
罗宾赶紧拉着妈妈离开了。

感冒时为什么会流鼻涕

lù yì sī gǎn mào le　　tā jiān chí
路易斯感冒了，他坚持

yào qù shàng xué　　xiǎo huǒ bàn men dōu hěn
要去上学，小伙伴们都很

dān xīn tā
担心他。

　　lù yì sī yì zhí zài liú bí tì
路易斯一直在流鼻涕，

ér qiě méi jīng dǎ cǎi de
而且没精打采的。

　　lái dào xué xiào　　lù yì sī biàn de
来到学校，路易斯变得

gèng zāo gāo le　　gǎn mào liú bí tì shí zài tài
更糟糕了，感冒流鼻涕实在太

nán shòu le
难受了。

zhōng yú fàng xué le　　lù yì sī huí dào jiā zhōng　　mā ma gào su tā　　rén
终于放学了，路易斯回到家中，妈妈告诉他，人

gǎn mào hòu　　bí qiāng huì fēn mì hěn duō bí tì bǎ bìng dú hé xì jūn gǎn chū tǐ
感冒后，鼻腔会分泌很多鼻涕把病毒和细菌赶出体

wài　tóng shí　　bí tì néng bǎo chí bí qiāng shī rùn　　xī fù bìng dú hé xì jūn
外。同时，鼻涕能保持鼻腔湿润，吸附病毒和细菌，

fáng zhǐ tā men rù qīn
防止它们入侵

tǐ nèi
体内。

zhī dào liú bí tì hái yǒu zhè
知道流鼻涕还有这

yàng de zuò yòng　　lù yì sī bú
样的作用，路易斯不

zài kǔ nǎo　　tā zhǐ xī wàng gǎn
再苦恼，他只希望感

mào néng kuài diǎn hǎo　　nà yàng
冒能快点好，那样

jiù kě yǐ kāi kāi xīn xīn de hé xiǎo
就可以开开心心地和小

huǒ bàn men wán shuǎ le
伙伴们玩耍了。

人为什么要眨眼睛

汤姆和爸爸一起放风筝。突然，一阵大风吹了过来。

汤姆感觉自己的眼睛很难受，而且不自觉地眨眼睛。小伙伴们的气球都被吹走了，但是汤姆的眼睛太难受了，根本帮不上忙。

爸爸看了看，说："汤姆不要怕，只是进了一些灰尘，眨眨眼睛就好了。"

tāng mǔ hěn yí huò bà ba shuō
汤姆很疑惑。爸爸说：

wǒ men měi tiān dōu zài zhǎ yǎn jing zhè
"我们每天都在眨眼睛，这

yàng néng bǎo zhèng yǎn qiú shī rùn hái néng
样能保证眼球湿润，还能

zǔ dǎng yì wù jìn rù jí biàn yì wù jìn
阻挡异物进入。即便异物进

rù le yǎn jing zhǎ zhǎ yǎn jiù
入了眼睛，眨眨眼就

néng bǎ yì wù jǐ chu qu
能把异物挤出去。"

tāng mǔ àn zhào bà ba shuō
汤姆按照爸爸说

de zuò le guǒ rán yǎn jing hěn
的做了。果然，眼睛很

kuài jiù bù nán shòu le
快就不难受了。

bà ba hái bāng zhe xiǎo
爸爸还帮着小

huǒ bàn men zhǎo huí le qì
伙伴们找回了气

qiú tā kě zhēn shì gè quán
球，他可真是个全

néng de hǎo bà ba
能的好爸爸。

为什么冰激凌不能多吃

shān mǔ hé mā ma yì qǐ lái dào
山姆和妈妈一起来到

yóu lè yuán
游乐园。

hǎo chī yòu hǎo kàn de bīng jī líng
好吃又好看的冰激凌

xī yǐn le shān mǔ　　shān mǔ chī zhe
吸引了山姆，山姆吃着

yí gè　　　hái xiǎng zài yào yí gè
一个，还想再要一个。

妈妈告诉山姆，冰激凌不能多吃。因为冰激凌很凉，会对胃部造成很大刺激，容易导致肠胃疾病，还容易导致蛀牙。

冰激凌虽然好吃，但山姆还是决定听妈妈的话，不再多吃。

43

"滑雪去喽！"保
罗和安东尼兴高采烈
地喊。

可是，来到室外后，他们
发现天气太冷了。他们一直在
不停地发抖。

44

安东尼说："没关系，发抖其实是肌肉在不停地运动，这样能产生很多热量，帮助我们保持体温。等会儿我们运动起来，就会感觉暖和了。"

果然，滑了一会儿之后，他们就感觉十分暖和了。

眼泪为什么是咸的

zhōu mò　　bà ba dài zhe qiáo zhì qù dòng wù yuán kàn cháng jǐng lù
周末，爸爸带着乔治去动物园看长颈鹿。

qiáo zhì gāo xìng jí le　　tā hái zài dòng wù
乔治高兴极了，他还在动物

yuán rèn shi le hěn duō xīn péng you
园认识了很多新朋友。

kě shì　　bà ba jiē le yí gè diàn
可是，爸爸接了一个电

huà　　yào huí gōng sī jiā bān　　bù néng
话，要回公司加班，不能

péi qiáo zhì wán le
陪乔治玩了。

qiáo zhì hěn shī wàng
乔治很失望，

wěi qu de kū le qǐ lái
委屈地哭了起来。

爸爸说："乔治是个小男子汉了，不可以随便哭鼻子。"乔治听了，擦干眼泪，说："爸爸，我会听话的。只是眼泪进到嘴巴里，为什么有点咸呢？"

爸爸说："我们的眼泪中含有盐分，所以才会咸咸的。"

说完，爸爸把乔治送回了家。乔治希望下个周末爸爸能够陪他出去玩一整天。

图书在版编目(CIP)数据

独一无二的我 / 崔钟雷主编. —— 哈尔滨:黑龙江
美术出版社,2018.11
(十万个为什么:幼儿版)
ISBN 978-7-5593-2186-2

Ⅰ.①独··· Ⅱ.①崔··· Ⅲ.①常识课-学前教育-教
学参考资料 Ⅳ.①G613.3

中国版本图书馆CIP数据核字(2018)第266888号

书　名／独一无二的我
　　　　DUYIWUER DE WO

主　　编／崔钟雷
策　　划／钟　雷
副 主 编／姜丽婷　张文光
责任编辑／张一墨
插　　画／李　杰
装帧设计／稻草人工作室
出版发行／黑龙江美术出版社
地　　址／哈尔滨市道里区安定街225号
邮政编码／150016
编辑版权热线／(0451) 55174988
销售热线／4000456703　(0451) 55183001
网　　址／www.hljmscbs.com
经　　销／全国新华书店
印　　刷／洛阳和众印刷有限公司
开　　本／787mm×1092mm　1/16
印　　张／3
字　　数／50千字
版　　次／2018年11月第1版
印　　次／2020年2月第3次印刷
书　　号／ISBN 978-7-5593-2186-2
定　　价／22.80元

本书如发现印装质量问题,请直接与印刷厂联系调换。